LE MOTOCROSS

Gary Freeman

GAMMA • ÉCOLE ACTIVE

extrêmes limites

Dans la collection :

LE SKATEBOARD

LE VTT

LE ROLLER

LE SNOWBOARD

LE SURF

© Hodder Children's books 2000
Titre original : *Motocross*
Auteur : Gary Freeman

© Éditions Gamma,
60120 Bonneuil-les-Eaux, 2001,
pour l'édition française.
Traduit par Jacques Canezza.
Dépôt légal : juillet 2001.
Bibliothèque nationale.
ISBN 2-7130-1927-3

Exclusivité au Canada :
Éditions École Active
2244, rue de Rouen, Montréal,
Qué. H2K 1L5.
Dépôts légaux : 3ᵉ trimestre 2001.
Bibliothèque nationale du Québec,
Bibliothèque nationale du Canada.
ISBN 2-89069-661-8

Loi n° 49-956 du 16 juillet 1949
sur les publications destinées à la jeunesse.

Imprimé en Italie.

Crédits photographiques : toutes les photographies sont de
Gary Freeman excepté p 6, 7 (haut) B. R. Nicholls ; p 11, 23
(haut) Frank Hoppen ; p 22, 23 (bas) Jack Burnicle.

AVERTISSEMENT !

Le motocross est un sport dangereux. Ce livre te donne de nombreux conseils mais sa lecture n'est pas suffisante pour pratiquer sans risque. Tu dois être responsable de ta propre sécurité.

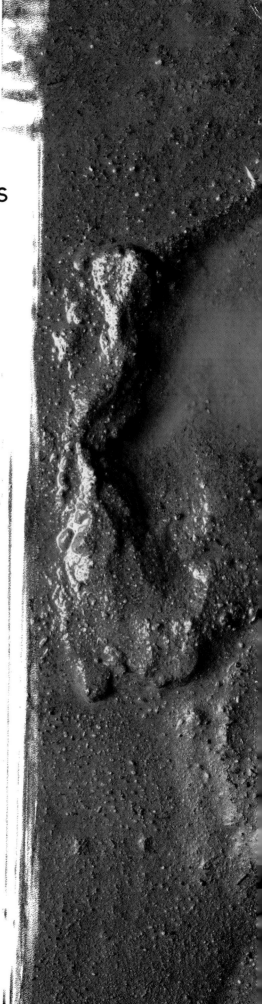

Le motocross

Le départ d'une course est l'un des moments les plus excitants.

Si tu es à la recherche d'émotions fortes, tu as fait le bon choix : le motocross est l'un des sports les plus passionnants. Les pilotes s'affrontent sur un circuit parsemé d'obstacles naturels et artificiels. Le gagnant est le pilote le plus rapide.

Toutes les motos sont obligatoirement équipées de fortes suspensions et de pneus avec de grosses tétines pour assurer une meilleure prise sur n'importe quel type de terrain. Les pilotes doivent être capables de garder leur équilibre et de contrôler leur vitesse dans les différentes parties du circuit. Et il leur faut aussi une bonne dose de courage.

Le jargon du motocross

Bump : une petite bosse qui ralentit les pilotes dans les lignes droites.

Double : un obstacle constitué de deux bosses successives.

Indoor : le motocross pratiqué dans un stade.

Outdoor : le motocross pratiqué sur un circuit naturel.

Table : un module de saut composé d'une rampe d'appel, d'un plateau et d'une rampe de réception, les deux rampes étant au même niveau.

Triple : un obstacle constitué de trois bosses successives. Très spectaculaire.

Wheeling : rouler sur la roue arrière en soulevant la roue avant.

Whoops : une longue section de bosses artificielles qui réclament une bonne technique.

Les origines

Le motocross existe depuis le début du XXe siècle. Les adeptes de ce sport pilotaient leurs motos sur des chemins de campagne. Les premières courses se sont déroulées dans les années 1920, et les motos de l'époque n'avaient pas grand-chose à voir avec les motos modernes.

La technologie des motos progresse de concert avec le pilotage. Le nom *motocross* est une combinaison du mot français *moto* et du mot anglais *cross*, abréviation de *cross-country*.

Des adeptes du motocross se lancent sur un chemin forestier.

Le photographe Nick Nicholls parle du motocross dans les années 1960 : « Autrefois, vous pouviez identifier tous les pilotes grâce à leurs vêtements et à leur style. Vous pouviez aussi voir leur visage quand ils passaient. Avec l'équipement moderne, vous ne voyez plus les visages et il y a parfois sur le même circuit trois ou quatre pilotes qui se ressemblent. »

Les héros des années 1960

Bud Ekins (États-Unis).

Dave Curtis (G.-B.).

Dick Mann (États-Unis).

Jeff Smith (G.-B.).

Motos et pilotes ont changé d'aspect, mais les sensations restent les mêmes !

« C'est un sport qui est aujourd'hui complètement différent de ce qu'il était. Mais dans la plupart des cas, le pilote gagnait grâce à sa condition physique, et cela n'a pas vraiment changé. **»**

Nick Nicholls.

La moto de cross

Les motos de cross et celles de supercross (voir les pages 10 et 11) sont identiques. Elles sont équipées de suspensions de haute technologie pour affronter des conditions extrêmes. La vitesse de pointe d'une moto de cross n'est pas très élevée mais, grâce à la puissance de son moteur, elle a une capacité d'accélération impressionnante.

Le silencieux.
Il réduit le bruit du moteur et contribue à le faire tourner sans à-coups.

Le pot de détente.
Il évacue les gaz d'échappement du moteur. Il est conçu pour aider le moteur à développer une puissance maximale.

Le pignon de roue et la chaîne.
Les vitesses sont conçues pour permettre des accélérations très importantes. La chaîne, qui est très solide, transmet la puissance du moteur à la roue arrière.

Le bras oscillant.
Il est équipé d'une suspension et absorbe les chocs lors du passage de bosses ou de sauts.

La plupart des motos de cross sont équipées d'un moteur deux-temps qui fait beaucoup de bruit et de fumée. Mais des moteurs quatre-temps, moins bruyants et moins polluants, ont été récemment mis au point. Cependant, certains experts estiment que le moteur de l'avenir le plus respectueux de l'environnement sera un moteur deux-temps équipé d'un système spécial d'injection.

La poignée des gaz.
Elle permet au pilote de contrôler la vitesse.

La fourche télescopique.
Le débattement, d'une trentaine de centimètres, facilite la conduite sur les bosses.

Les freins à disques.
Leur puissance garantit un freinage efficace.

Le radiateur.
Il permet au moteur de rester à la température optimale (100° C environ).

L'amortisseur arrière.
Le débattement est identique à celui de la suspension avant.

Le carburateur.
Il mélange de l'air au carburant lorsque celui-ci arrive dans le moteur.

9

Le supercross

Le supercross est né aux États-Unis. Il se court sur des circuits aménagés dans des stades. Des pistes couvertes sont tracées à l'aide de gros bulldozers qui déplacent d'énormes quantités de terre. De leur place, les spectateurs bénéficient d'une vue d'ensemble des tables, des whoops et des virages relevés. Le supercross est l'un des sports les plus passionnants, pour les coureurs comme pour les spectateurs.

Ricky Carmichael est un futur héros des stades. À l'âge de vingt-deux ans, il a déjà démontré qu'il est un pilote exceptionnel de motocross et de supercross. Un jeu vidéo porte même son nom. Le seul pilote qui puisse en dire autant est la célébrité actuelle du supercross, Jeremy McGrath.

Certaines courses de supercross se déroulent sur des circuits en plein air.

Ricky Carmichael

(Ci-dessus)

Il est né le 27 novembre 1979, à Clearwater, en Floride (États-Unis). Il habite aujourd'hui à Havana, en Floride. Il mesure 1,65 cm et pèse 65 kg. Il est devenu professionnel en 1996.

Palmarès de Ricky Carmichael

2000 : 5e, supercross des États-Unis, 250 cm^3.

1999 : 1er, championnat des États-Unis de motocross, 125 cm^3.

1998 : 1er, championnat des États-Unis de motocross, 125 cm^3.

1997 : 1er, championnat des États-Unis de motocross, 125 cm^3.

Une accélération à la sortie d'un virage.

Le trial

Le trial est une discipline qui consiste à franchir des obstacles tels que des rochers, des troncs d'arbres et des pneus de tracteurs. Les pieds du pilote ne doivent pas quitter les repose-pieds. La technique du trial peut être très utile en motocross. En fait, les pilotes de trial sont généralement bons en cross, mais le contraire n'est pas toujours vrai.

En trial, le pilote et la machine luttent contre les obstacles et non contre le temps. Si tu es un amoureux de la vitesse, le trial n'est pas fait pour toi. Par contre, si tu veux améliorer ton adresse sur deux roues, le trial te conviendra parfaitement.

« Conduis pour le plaisir, mais pense aussi à améliorer ton adresse sur la moto. Au début, tu trouveras sûrement cela très difficile et peut-être même tomberas-tu. Mais quand tu auras fait quelques progrès, tu seras heureux d'avoir fait l'effort et tu t'amuseras beaucoup plus. »

Adam Raga, champion de trial

Les motos de trial sont très différentes des motos de cross.

« Si je cours sur une moto d'enduro contre des pilotes d'enduro, ils seront sûrement plus rapides que moi. Mais sur une moto de trial, ils ne peuvent pas faire ce que je fais ! »

Adam Raga

13

L'enduro

La machine et le pilote sont un bloc de glaise.

L'enduro est un mélange de motocross et de trial. C'est une discipline moins rapide que le cross et moins technique que le trial, mais les pilotes d'enduro doivent combiner les qualités nécessaires à ces deux sports.

Le parcours est une boucle de 80 km en moyenne. Il est totalement naturel et emprunte des routes aussi bien que des pistes. Le circuit est à réaliser en 2 à 3 fois. Il est tronçonné en plusieurs secteurs à moyenne imposée. Les pilotes partent 3 par 3 toutes les minutes. Ils ont alors un temps imparti pour se rendre à la fin du premier tronçon. Tout retard ou avance au pointage donne lieu à des pénalités. Pour départager les pilotes, ils participent à des épreuves de vitesse appelées spéciales où seul le chronomètre compte.

Les motos d'enduro doivent avoir :

- un éclairage ;
- une plaque d'immatriculation ;
- des pneus d'enduro ;
- un échappement silencieux ;
- une béquille.

Paul Edmondson dans une course d'enduro.

Les différences avec les motos de cross :

● plus de vitesses et des rapports plus courts pour de meilleures réactions du moteur à faible vitesse ;

● réservoir plus gros pour parcourir de longues distances ;

● protections pour les mains qui évitent les chocs avec les branches, par exemple ;

● les chaînes O'Ring ont des protections de caoutchouc contre le sable et la poussière.

La traversée d'une rivière en moto.

« Une course c'est un peu comme un motocross intense qui dure trois heures. Ces courses sont super parce qu'on reste longtemps sur sa moto et on revient à la maison vraiment fatigué. »

Paul Edmondson, pilote d'enduro.

La technique 1

Voici une présentation rapide de la technique de pilotage des coureurs professionnels. N'oublie pas que cela paraît facile parce qu'ils s'entraînent beaucoup. Tu verras que tu progresseras dans ta conduite si tu suis ces conseils.

Le départ

Penche ton corps vers l'avant. Regarde la grille. Tourne la poignée des gaz jusqu'à la moitié de sa course. Dès que la grille s'abaisse, relâche l'embrayage rapidement, mais sans à-coups, tout en tournant la poignée des gaz à fond. Mets les pieds sur les repose-pieds aussi vite que possible.

Le freinage

Fais porter ton poids vers l'arrière pour donner à la roue arrière le maximum d'adhérence. Rétrograde quand cela est nécessaire, mais ne débraye pas si tu veux bénéficier du frein moteur. Tu dois sentir l'adhérence des roues pour doser ton freinage.

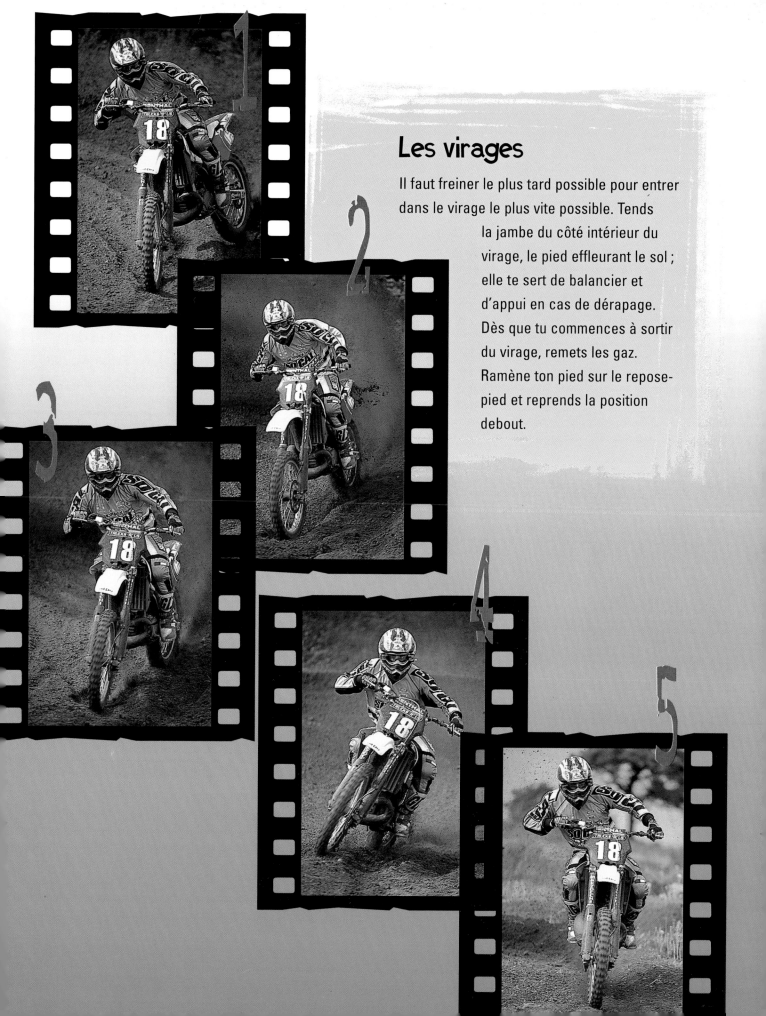

Les virages

Il faut freiner le plus tard possible pour entrer dans le virage le plus vite possible. Tends la jambe du côté intérieur du virage, le pied effleurant le sol ; elle te sert de balancier et d'appui en cas de dérapage. Dès que tu commences à sortir du virage, remets les gaz. Ramène ton pied sur le repose-pied et reprends la position debout.

La technique 2

Une bonne technique te permettra d'augmenter ta vitesse, mais aussi d'améliorer le contrôle de ta moto et de perfectionner ton style. Il est préférable de l'acquérir dès le début. De nombreux anciens coureurs ont créé des écoles où ils enseignent leur technique. Un stage d'un ou plusieurs jours dans l'une de ces écoles permet de prendre un bon départ dans la carrière de pilote de cross.

Le contrôle de la moto en l'air est une partie importante de la technique.

Les sauts

Mets-toi debout sur les repose-pieds, le corps légèrement en arrière de façon à porter ton poids sur l'arrière de la moto, afin que la roue arrière touche le sol la première. Tu peux corriger ta trajectoire et préparer l'atterrissage en avançant ou en reculant légèrement le corps.

Les tables

C'est le seul saut pour lequel il vaut mieux atterrir sur la roue avant, mais il faut retomber sur la rampe de réception. En décollant, porte ton poids vers l'arrière puis reporte-le vers l'avant pendant le vol. La moto s'inclinera vers l'avant. Atterris sur la rampe de réception, la roue avant la première, puis remets les gaz.

Un atterrissage sur une table.

La position debout, vue de dos et de face.

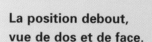

La position debout

Baisse la tête et place tes épaules juste derrière le guidon. Relève les coudes et positionne tes hanches entre le milieu et l'arrière de la moto. Cette position, dite d'« attaque », est celle qu'il faut adopter pour piloter énergiquement tout en gardant le contrôle de la moto.

La course

La plupart des courses se déroulent de la même manière. Les concurrents sont répartis par catégories d'âge et de cylindrée : dans une même course, les pilotes ont donc à peu près le même âge et les motos des caractéristiques identiques. Les courses d'amateurs durent généralement entre douze et vingt-cinq minutes, et il y a normalement trois courses en une journée.

Un tour de circuit dure entre une minute et demi et trois minutes. Des commissaires de course surveillent chaque section du parcours. Il n'y a pas deux circuits identiques : tu deviendras un bon pilote en t'entraînant et en courant sur beaucoup de surfaces différentes.

Quelques conseils pour la course

- Avant la course, fais le tour du circuit à pied pour étudier ses caractéristiques.
- Assiste aux autres courses (en particulier aux départs) et familiarise-toi avec les lieux.
- Lie connaissance avec les autres pilotes et n'hésite pas à leur demander des conseils. Les circuits et les clubs sont des endroits idéaux pour se faire des amis.

Le jargon de la course

GP : Grand Prix, épreuve du championnat du monde.

Pits : le parc des concurrents ; un endroit réservé aux pilotes, aux machines et aux mécaniciens.

Grille : un assemblage mécanique qui retient les pilotes au départ et s'abaisse vers l'arrière au signal du starter.

Holeshot (faire le) : se porter en tête au premier virage après le départ.

Block-pass (faire un) : couper la trajectoire d'un adversaire en le dépassant dans un virage.

Exter (faire l') : dépasser un concurrent à l'extérieur d'un virage.

Inter (faire l') : dépasser un concurrent à l'intérieur du virage.

T-boner : percuter un concurrent dans un virage ; une faute sanctionnée.

DNF : un abandon ; abréviation de l'anglais *did not finish*.

Les meilleurs pilotes

Voici une présentation rapide de deux pilotes de légende du motocross.

DAVE THORPE

Dave Thorpe a remporté, en tant que professionnel, sept championnats de Grande-Bretagne et trois championnats du monde en 500 cm^3. C'est le coureur britannique de motocross le plus récompensé. Sa vitesse et la force dont il faisait preuve sur les énormes 500 cm^3 étaient impressionnantes.

Dave, champion :

- de Grande-Bretagne, 1982, en 250 cm^3 ;
- de Grande-Bretagne, 1983, 1984, 1985, 1986, 1987, 1989 en 500 cm^3 ;
- du monde, 1985, 1986, 1989, en 500 cm^3.

Le palmarès de Jeremy

Champion AMA de l'Ouest des États-Unis, 1991 et 1992, en 125 cm³.

Champion de supercross AMA, 1993, 1994, 1995, 1996, 1998, 1999, 2000, en 250 cm³.

Champion des États-Unis de supercross en plein air en 1995.

Jeremy McGrath

Jeremy McGrath est la plus grande star des circuits de supercross. Tu peux constater, en regardant son palmarès, qu'il occupe le devant de la scène aux États-Unis depuis un certain temps. En 2000, il remporta pour la septième fois le championnat américain de supercross de l'AMA (*American Motorcyclist Association*) en 250 cm³.

Dave Thorpe, le coureur britannique le plus titré, fait un saut sur sa 500 cm³.

La sécurité

Le motocross est un sport de vitesse qui comporte une part de risque. Cependant, la vitesse est en général limitée par la nature du circuit et, si les chutes sont nombreuses, elles ne sont que rarement graves. Un bon équipement limite les risques de blessures lors des accidents. Mais le meilleur moyen de les éviter est de piloter sans dépasser ses limites. Si tu as la sensation de ne plus maîtriser parfaitement ta moto ou ta vitesse, ralentis. Si tu ne le fais pas, tu deviens un danger pour les autres coureurs et pour toi-même.

Il vaut mieux prendre un virage moins rapidement (à gauche) que perdre le contrôle de ta moto (ci-dessous).

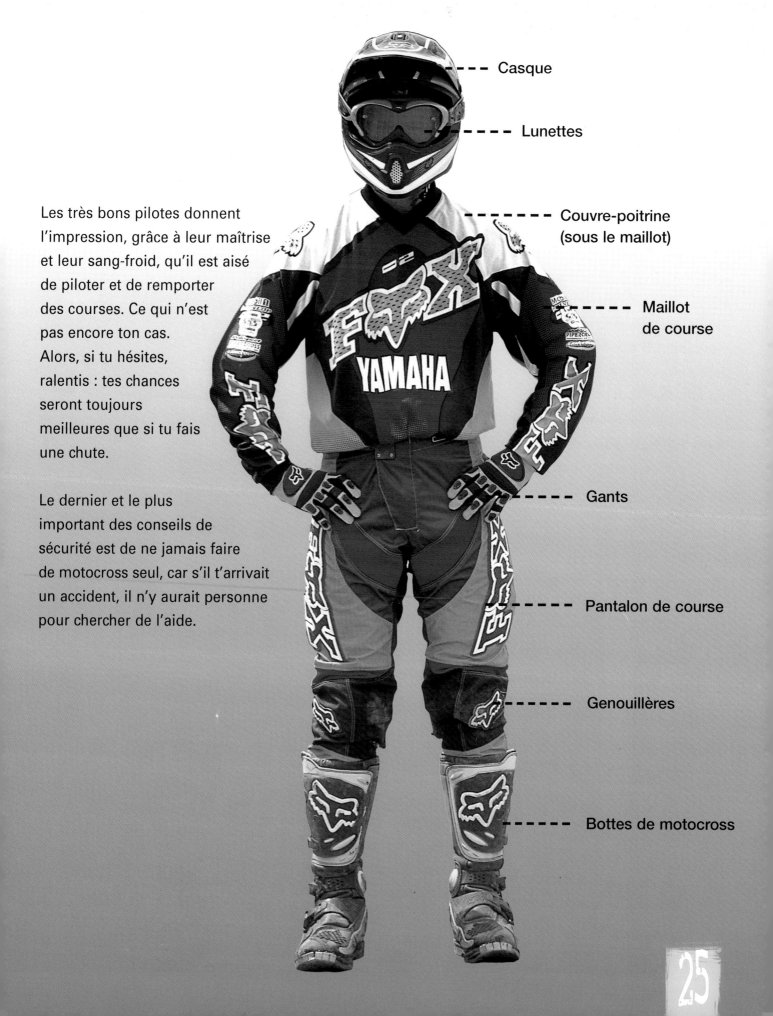

Casque

Lunettes

Couvre-poitrine
(sous le maillot)

Maillot
de course

Les très bons pilotes donnent l'impression, grâce à leur maîtrise et leur sang-froid, qu'il est aisé de piloter et de remporter des courses. Ce qui n'est pas encore ton cas. Alors, si tu hésites, ralentis : tes chances seront toujours meilleures que si tu fais une chute.

Gants

Le dernier et le plus important des conseils de sécurité est de ne jamais faire de motocross seul, car s'il t'arrivait un accident, il n'y aurait personne pour chercher de l'aide.

Pantalon de course

Genouillères

Bottes de motocross

L'entraînement

Le motocross n'exige pas une grande force physique, mais il est indispensable d'être en bonne forme. Il faut pouvoir résister aux agressions tout au long de la course, pendant douze à vingt-cinq minutes pour les amateurs, mais jusqu'à quarante-cinq minutes pour les professionnels. À pleine vitesse, le motocross est l'un des sports les plus durs qui existent. Une bonne condition physique te permet d'avoir la force nécessaire pour bien courir, mais aussi de mieux apprécier la course.

Il n'est pas nécessaire de travailler des muscles particuliers, mais les plus sollicités sont les muscles :

- du bas du dos ;
- des cuisses ;
- des épaules ;
- du cou.

Pratique ces sports pour améliorer, puis entretenir ta condition physique :

- le jogging ;
- la natation ;
- le vélo ;
- l'aérobic ;
- le football.

Régime de sportif

Manger	Ne pas manger
Riz	Bonbons
Pâtes	Chips et frites
Pommes de terre	Fromage
Fruits et légumes	Chocolat
Eau	Boissons sucrées
Poisson et poulet	Viande rouge
Céréales complètes	Céréales sucrées

Règles de conduite
et questionnaire

Questionnaire

1) Tu approches d'une table et tu décolles parfaitement. Où dois-tu atterrir ?

a) sur le plateau lui-même et sur la roue arrière ;

b) sur la rampe de réception et sur la roue avant ;

c) sur la rampe de réception et sur la roue arrière.

2) Sur un circuit officiel, pendant des essais, tu te trouves derrière un pilote qui roule très lentement. Que fais-tu ?

a) tu lui cries de se pousser ;

b) tu ralentis et tu fais un écart pour le dépasser ;

c) tu le dépasses à toute vitesse pour lui montrer comment on pilote.

3) À quoi sert le carburateur d'une moto ?

a) il maintient la roue arrière en place et permet d'absorber les chocs ;

b) il mélange de l'air au carburant lorsqu'il arrive dans le moteur ;

c) il garde le moteur à la température optimale.

Les circuits de motocross non officiels sont généralement situés dans des sites isolés et calmes. Ils nuisent à la réputation du motocross et rendent plus difficile la construction de circuits officiels. De plus, la plupart de ces pistes de fortune sont très rudimentaires : il n'y a pas de toilettes, pas de poste de secours et pas de service de restauration. Courir sur des circuits officiels, comme cela t'arrivera peut-être un jour, t'aidera à progresser plus vite.

Tes résultats

Tu as obtenu une majorité de a : tu as réussi l'impossible en ayant tout faux. Relis le livre, mais éteins d'abord la télévision.

Tu as obtenu une majorité de b : très bien, tu apprends vite.

Tu as obtenu une majorité de c : c'est bien, mais tu peux progresser. À moins que tu n'aies choisi la réponse c pour la deuxième question, tu devrais te débrouiller.

Pendant l'entraînement

- Si un pilote fait une chute, aide-le à sortir de la piste avec sa moto le plus vite possible.

- Tu ne dois entrer et sortir de la piste qu'au passage prévu à cet effet.

- Ne prends pas le circuit à contresens.

- Ne serre pas les autres pilotes en les dépassant. Souviens-toi que tu n'as pas toujours roulé aussi vite.

- Sois aimable avec tout le monde et souviens-toi que tu es là pour t'amuser.

Glossaire

block-pass (faire un) : couper la trajectoire d'un adversaire en le dépassant dans un virage.

bûcheron : un pilote volontaire, mais peu élégant.

bump : une petite bosse qui ralentit les pilotes dans les lignes droites.

camel jump : une double bosse avec appel plus bas que la réception.

carbu : l'abréviation de carburateur.

crash : une chute violente.

exter (faire l') : dépasser un concurrent à l'extérieur d'un virage.

grille : un assemblage métallique retenant les pilotes au départ.

holeshot (faire le) : se porter en tête au premier virage.

indoor : en salle ou dans un stade.

inter (faire l') : dépasser un concurrent à l'intérieur d'un virage.

mid-pack : c'est le milieu du peloton.

MX : l'abréviation de motocross.

outdoor : à l'extérieur, sur un circuit naturel.

pits : l'endroit réservé aux pilotes, aux motos et aux mécaniciens lors d'une course.

radical : décrit un style de pilotage qui se caractérise par une grande prise de risques.

repose-pieds : des appuis fixés au cadre de la moto sur lesquels le pilote peut poser les pieds.

SX : l'abréviation de supercross.

table : module de saut composé d'une rampe d'appel, d'un plateau et d'une rampe de réception.

tétines : les sculptures profondes sur la bande de roulement d'un pneu de motocross ; leur relief très marqué garantit une très bonne adhérence.

triple : un obstacle composé de trois bosses.

wheeling (faire un) : rouler sur la roue arrière en soulevant la roue avant.

whoops : longue section de bosses successives.

Pour plus d'informations

Des livres

Champions du monde, Collectif, Larivière, 2000.

Motocross, Jean Bougie, C. Corlet, 1996.

La moto tout terrain en France, M. Marguerite, M. Margue, 1987.

Folies du motocross, Jean Bernardelli, Breens, 1985.

Des videos

- *Supercross Paris Bercy 2000*, ARV.
- *Pack motocross-supercross*, ARV, 1992.
- *Moto (supercross, speedway)*, WAR, 1990.
- *Supercross US 98 (l'invasion frenchie)*, ALCO.
- *Supercross*, ARV.

Sur le net

www.blockpass.com
(championnats européens et américains de motocross).

www.davidvuillemin.com
(le site du champion David Vuillemin).

www.motocross.be
(le magazine en ligne du motocross).

www.mx2k.com
(l'actualité du motocross à travers le monde).

Index